El misterio de la Gran Pirámide

DIRECCIÓN EDITORIAL: Adriana Beltrán Fernández
COORDINACIÓN DE LA COLECCIÓN: Karen Coeman
CUIDADO DE LA EDICIÓN: Pilar Armida, Obsidiana Granados y Ariadne Ortega
DISEÑO DE PORTADA: Maru Lucero
FORMACIÓN: Sara Miranda y Maru Lucero
ILUSTRACIONES: Miguel Navia

El misterio de la Gran Pirámide

Texto D.R. © 2009, Jordi Sierra i Fabra

PRIMERA EDICIÓN: enero de 2012
PRIMERA REIMPRESIÓN: junio de 2013
D.R. © 2012, Ediciones Castillo, S.A. de C.V.
Castillo ® es una marca registrada.

Insurgentes Sur 1886, Col. Florida,
Del. Álvaro Obregón,
C.P. 01030, México, D.F.

**Ediciones Castillo forma parte
del Grupo Macmillan**

www.grupomacmillan.com
www.edicionescastillo.com
infocastillo@grupomacmillan.com
Lada sin costo: 01 800 536 1777

Miembro de la Cámara Nacional
de la Industria Editorial Mexicana.
Registro núm. 3304

ISBN: 978-607-463-518-8

Impreso en México/*Printed in Mexico*

Jordi Sierra i Fabra

Ilustraciones de Miguel Navia

El misterio
de la Gran Pirámide

Castillo de la lectura

1
LA GRAN PIRÁMIDE

Los relámpagos cruzaban el firmamento con monótona intermitencia, y con cada uno, el helicóptero parecía sacudido por una mano invisible, capaz de agitarlo sin piedad y de despedazarlo a la menor oportunidad. Asomado a la ventanilla izquierda, con la nariz pegada al cristal, David no dejaba de mirar al otro lado, mitad curioso, mitad asustado, aunque el piloto se mostraba de lo más sereno, incluso sonriente, como si disfrutara del vaivén.

—¿Podremos aterrizar? —preguntó Elías.

David miró en su dirección. Sentado a su lado, el hombre que habían enviado a buscarlo estaba muy pálido, y daba la impresión de querer sujetarse de todas partes. Sudaba.

—No se preocupe —lo tranquilizó el piloto—. Estas tormentas tropicales aparecen y desaparecen en un abrir y cerrar de ojos. Estamos a cinco minutos de nuestro destino.

Cinco minutos podían durar una eternidad. Elías no dejaba de sudar ni de mostrar miedo.

David se olvidó de él, y volvió a concentrarse en el paisaje. Quería mirar la selva, la extensa capa arbolada que formaba la superficie de aquel mundo desconocido, abrupto y montañoso. El mundo inexplorado que iba a descubrir finalmente, después de que su papá, primero, y ahora su mamá, se empeñaran en que lo conociera.

Pero no se podía distinguir nada al otro lado del cristal, solamente la gris oscuridad de la tormenta en pleno día.

Un relámpago dibujó su eléctrica silueta muy cerca, poniéndole los pelos de punta.

—¿No pu... pu... puede bajar un po... po... poco más? —tartamudeó Elías.

—Podría —el piloto se encogió de hombros—, pero rozaríamos las copas de los árboles o nos estrellaríamos contra una de esas colinas rocosas.

El hombre calló.

—Veo algo —dijo David.

Por entre un pequeño claro de niebla y bruma, asomaron unas formas oscuras. Tal vez árboles. O quizá una de las colinas de las que el piloto acababa de hablar.

Sólo fue una fugaz percepción.

Luego volvió la presencia gris de la tormenta, y el fragor de los truenos dibujados con la luz blanca y cegadora de los relámpagos.

—Mejor nos hubiéramos quedado en la ciudad —insistió Elías.

—Quiero ver a mi mamá —le recordó una vez más David—. Han sido tres meses muy largos y voy a aprovechar estas vacaciones de Semana Santa.

—¡Cuidado!

Después de todo, volaban bajo. Las copas de los árboles aparecieron a menos de 10 metros. El piloto las esquivó con destreza, sin tener que maniobrar bruscamente los mandos del helicóptero. Ascendió por lo que parecía ser la falda de una colina y entonces, al llegar a la cima, la tormenta se esfumó, como si nunca hubiera ocurrido.

David se quedó asombrado; lo mismo Elías.

—¡Se acabó! —suspiró el piloto. Y agregó—: Chico, bienvenido al Valle del Sol.

El sol brillaba en el cielo. Un sol perfecto en un cielo perfectamente azul. Era como si la tormenta no se atreviera a pasar de la última montaña, y una frontera invisible la paralizara allí.

David no podía creerlo.

El Valle del Sol.

¡Por fin!

Nadie había estado allí hasta que su mamá, al ir tras la pista de su papá, había dado con el rastro de la Gran Pirámide y, gracias a este hallazgo, toda la arqueología moderna de México había sufrido la más grande de las convulsiones desde el descubrimiento de Palenque.

—¿Verdad que es increíble?

—Es... fantástico —suspiró David.

—Pues ahora prepárate para lo mejor —anunció el piloto.

Hizo girar el helicóptero a la derecha, apartándose un poco de su rumbo, de forma que David pudiera admirar por primera vez la majestuosa presencia del valle.

Ahí estaba, en el centro, inmensa, todavía semicubierta por la vegetación que la había mantenido oculta a los ojos humanos durante siglos, llena de misterios y enigmas.

La pirámide de Tasakbal.

Entonces sí se le entrecortó la respiración.

2
Reencuentro con una mamá científica

Se habría quedado allá arriba hasta que el helicóptero consumiera su última gota de combustible. El espectáculo valía la pena. Como hijo de arqueólogos, antropólogos y rastreadores de leyendas pasadas, desde niño había tenido acceso a toda aquella magia singular. Pero, por primera vez, veía con sus propios ojos algo así de importante, y estaba a punto de hacer algo más: tocarlo con sus manos y percibirlo con sus sentidos. La pirámide de Tasakbal era el más grande de sueños.

Si por algo deseaba ser mayor, era para seguir los pasos de sus papás e investigar aquellas fascinantes piedras cargadas de historia. La historia de los antiguos pueblos mexicanos, como el azteca o el maya.

Pero el helicóptero ya no se entretuvo. El piloto dio un par de vueltas en torno de la pirámide, para que él la contemplara en toda su magnitud, y luego el helicóptero descendió junto al campamento base, un conjunto de tiendas de campaña ubicado en un claro de la selva, en la esquina norte de la gran mole de piedra escalonada. Era la pirámide más alta descubierta en México, superior a la de Teotihuacán, en el Estado de México, y las de Uxmal y Chichén Itzá, en Yucatán.

Antes de que el helicóptero tocara tierra, levantando una nube de polvo, David vio a su mamá, Gloria Ibáñez, ansiosa de darle un abrazo.

David salió precipitadamente de la nave antes de que las aspas dejaran de rotar.

—¡Mamá!

—¡David, hijo!

Tras una breve carrera, se fundieron en un abrazo fuerte. El rubio cabello de David contrastaba con la melena oscura y la piel curtida de la mujer. El abrazo se prolongó largos segundos, hasta que ella se apartó para mirarlo.

—¡Qué ganas tenía de verte! ¡Qué largo se me ha hecho el tiempo desde Navidad!

—¿Lo encontraste? Anda, dime, ¿ya lo encontraste? —él se apresuró a preguntar.

—¿Crees que es como dar con una puerta y abrirla? —dijo Gloria Ibáñez con un gesto cansado—. Tal vez tardemos años en entrar, o puede que mañana mismo tengamos la suerte que hasta ahora tanto se nos ha negado.

—¡Oh, mamá! —la desilusión invadió a David—. Me dijiste que había una posible vía de acceso...

—Eh, eh —frenó a su hijo—. ¿Recuerdas la primera norma del buen arqueólogo? —y sin esperar respuesta dijo—: Tener paciencia. ¿O tú crees que los constructores hicieron una cabañita sólo para pasar el fin de semana?

—Bueno, ma, pero es que yo estaré aquí sólo una corta semana...

Su mamá volvió a abrazarlo.

Mientras tanto, Elías ya caminaba hacia el poblado artificial, cargando su mochila de viaje y refunfuñando por el susto de la tormenta.

—Quién sabe si dentro de 10 años todavía no conseguimos algo, y entonces seas tú quien esté aquí —suspiró ella.

—¿10 años? ¡Cómo crees! Seguro que, mucho antes, encontrarás todos los secretos de la pirámide y el camino para llegar a su interior.

—No estés tan seguro —ella volvió a suspirar.

David notó su abatimiento. Era raro en alguien tan lleno de ánimo como ella.

—¿Qué sucede, ma? —quiso saber.

—No lo sé —reconoció Gloria—. A veces pienso que esa mole de piedra está hechizada. Otras veces creo que sus constructores le lanzaron una maldición como la de Tutankamon. O, simplemente, que tenemos mala suerte porque con la de cosas que nos están pasando...

—¿Qué cosas?

—De todo. Galerías que se derrumban, laberintos que no llevan a ningún lado, trampas en las que nos jugamos la vida, cámaras cerradas sin sentido ni objeto alguno. Los trabajadores hablan de viejas leyendas que parecen haber recordado por arte de magia. ¡Pero si esto lleva siglos olvidado de la mano de Dios! Jamás había visto nada igual, hijo. Y eso lo hace más apasionante. Lo malo es que Tasakbal se está convirtiendo en una obsesión... y las obsesiones nunca son buenas.

—Ahora podré ayudarte —dijo David.

—Sí, claro.

—En serio. ¿No siempre dices que tengo suerte?

—Dios mío —ella fingió estremecerse, elevando los ojos al cielo ante la firme sonrisa de su hijo—. Yo creo que estás todavía más loco que tu papá.

Y lo jaló para llevarlo a la que sería su casa durante los maravillosos días siguientes.

3

Un rechinido sordo

La esquina norte de la pirámide de Tasakbal se alzaba a menos de 20 metros de los límites del campamento, y la tienda de campaña de Gloria Ibáñez, además de ser la más grande del lugar, era la más próxima a esa esquina. Sus dimensiones se debían a que albergaba el centro operativo de la expedición y una zona destinada a dormitorios con su propia puerta de lona. En su interior había varias mesas de madera con mapas, planos y una computadora portátil conectada al generador que proveía de luz al campamento. David tenía ganas de ver todo, de asimilarlo todo, de enterarse de todo y, por supuesto, de internarse en la pirámide, dejando de lado el cansancio del viaje desde la Ciudad de México. Su mamá, sin embargo, parecía querer tomarse las cosas con calma. Le advirtió:

—David, nada de meterte en las zonas inexploradas de la pirámide tú solo, ¿de acuerdo?

—Sí, mamá —le dijo no muy convencido.

—Es peligroso, y hablo muy en serio.

—Sí, mamá —repitió él.

Entre los dos comenzó a flotar el recuerdo de Jorge Paz, papá de David y esposo de Gloria.

Dos años ya.

Y nadie podía decir que Jorge Paz fuera loco o irresponsable. Lo sucedido no había sido por negligencia suya.

—Faltan un par de horas para que oscurezca y para la cena —dijo ella—. Mañana te enseñaré lo que quieras. Deberías descansar.

—¡Mamá! —protestó David.

Iban a comenzar a discutir pero en ese momento, por la puerta de la tienda de campaña, apareció una niña de 12 o 13 años. Piel tostada, rasgos mayas, muy bonita. Vestía unos jeans y una camiseta. Tenía enormes ojos negros.

David enmudeció cuando los fijó en él.

—Hola, Ixchel, éste es mi hijo David, de quien tanto te he hablado.

Ninguno de los dos se movió.

La niña miraba al chico recién llegado; y él, aquellos ojos intensos.

—¿David? —oyó decir a su mamá.

—Ah... sí, sí, perdón —salió de su abstracción.

—Ella es Ixchel, la hija del jefe de las excavaciones. La invité porque pensé que te gustaría jugar con alguien de tu edad... —Gloria Ibañez se dio cuenta de que la palabra "jugar" no era la más acertada, así que, de inmediato, procuró corregir su error—. Ixchel es experta en excavaciones. Ha estado aquí desde el comienzo. Seguro que puede hablarte de lo que te interese.

—¿De verdad? —David la miró impresionado.

—Ven —dijo la niña envuelta en una sonrisa—. ¿Quieres que demos un paseo por la pirámide?

David vio a su mamá.

—¿Puedo?

—Claro. Vayan —lo empujó Gloria Ibáñez—. Faltan un par de horas para la cena y entonces platicaremos. Ahora acabaré algunas cosas.

Salieron de la tienda, y fue Ixchel quien rompió el hielo en menos de 10 minutos. Primero lo llevó a la pirámide, y ahí le habló de sus dimensiones, de cómo la maleza la cubría de forma que parecía una montaña cuando la encontraron; de qué manera el valle la había protegido hasta volverla casi impenetrable; de cómo la limpiaron, retirándole cuanto le había crecido encima y, finalmente, de los infructuosos esfuerzos para acceder a ella. A los 15 minutos ya conversaban como si se conocieran de toda la vida, aunque constantemente ella centraba su atención en él, y él en los ojos y la belleza de su nueva compañera.

De pronto, Ixchel miró la medalla que colgaba del cuello de David. No era una medalla simple, pues por su grosor y una pequeña bisagra, se adivinaba que podía abrirse. David la tomó entre sus dedos y lo hizo. En cada lado, había una fotografía pequeña: a la derecha, la de su mamá; a la izquierda, la de un hombre con el cabello tan rubio como el suyo.

—Es mi papá —dijo David con orgullo y pesar al mismo tiempo—. Se perdió hace dos años explorando estas tierras. Nunca apareció.

—Lo sé —asintió la niña—. Tu mamá me contó.

—Era el arqueólogo y antropólogo más renombrado del momento.

—Te pareces a él.

—Sí, eso dicen.

Cerró la medalla y volvió a mirar la pirámide. Desde abajo se veía inmensa, lo cual lo hizo sentir minúsculo. Además comenzaba a caer la primera oscuridad, intensificada por la densidad umbría de la selva, que empezaba a llenarse de sombras.

Sombras curiosas.

Como aquélla, a unos 30 metros del suelo, que más bien parecía una cabeza. La cabeza de un hombre maya que los observaba fijamente...

No, no era una sombra.

¡Era una cabeza de verdad!

Que los miraba de verdad.

—¡Ixchel! —gritó David—. ¡Mira!

Señaló hacia esa dirección. Sólo apartó sus ojos de aquel sorprendente prodigio una fracción de segundo. Nada más.

Pero cuando se volvió para mirar de nuevo, la cabeza ya no era visible.

Había desaparecido.

4
LA EXPLOSIÓN

David le aseguró a Ixchel:

—Te digo que era la cabeza.

—¿Ahí arriba? Nadie está trabajando ahí. Todo el mundo está concentrado en encontrar un pasadizo subterráneo o al nivel del suelo.

—¿O sea que estoy imaginado cosas?

—Hiciste un largo viaje hasta aquí, y no estás acostumbrado a la selva. Aquí todo parece moverse y estar vivo. Te adaptarás pronto.

—Oye, sé muy bien lo que vi, ¿de acuerdo?

—No te enojes —Ixchel bajó la mirada—. No quería burlarme de ti.

—Entonces, ¿por qué no me crees?

—Porque sería absurdo que hubiera alguien ahí arriba, y que se hubiera escondido cuando lo viste. No tiene sentido. Pero si lo aseguras, te creo.

—Bueno, de todas formas da igual —David se encogió de hombros. Tampoco él quería molestar a quien, al parecer, iba a ser su amiga aquella semana, y era una experta en lo que a él le apasionaba tanto—. No tiene importancia. Sólo que... me sorprendió, ¿entiendes? Me miraba de una forma extraña, llevaba plumas y todo eso...

—¿Plumas? —Ixchel lo contempló boquiabierta.

—Sí, como los antiguos habitantes de este lugar.

Ixchel frunció el ceño sin decir nada. Habían seguido andando, así que ahora se encontraban justo frente a la fachada principal de la Gran Pirámide, allá donde las excavaciones continuaban, a pesar de la hora, como si los trabajadores aprovecharan cada minuto de la jornada.

—Éste es el acceso al pasadizo principal —señaló la chica con plena determinación.

—¿Podemos...?

—Sí, ven.

Pasó por delante y le dio la mano, no por miedo a que se cayera, lo cual habría sido un insulto para el chico, sino para guiarlo en el primer tramo, que no estaba bien iluminado. David agradeció aquel contacto. Era cálido. La mano de Ixchel parecía un trozo de terciopelo.

También se sintió ridículo. ¡Como si fuera la primera chica que conocía!

Juntos, descendieron como seis metros por un desnivel que se internaba en la pirámide, el cual concluía en una gran sala circular de piedra que tenía siete puertas.

—Aquí empieza el lío —explicó Ixchel—. Al cabo de unos metros, cada puerta conecta con otras salas, y en cada una hay siete puertas más. Hasta ahora ningún acceso ha permitido avanzar más allá de 50 metros. Unos terminan en paredes cerradas, otros llevan a los mismos pasadizos, y un par van hacia abajo. En alguna parte ha de haber un mecanismo, un truco, pero nadie lo ha encontrado en estos meses. Se avanza lentamente por temor a estropear algo o a que haya trampas. Bueno, de hecho no han avanzado en las últimas semanas. Sin olvidar que constantemente pasan cosas.

Ixchel sintió una ráfaga de miedo instintivo y apretó la mano de David.

—Tenían que resguardar y proteger muy bien su mundo —razonó David.

—Pero no tanto. Es como si Tasakbal guardara algo muy especial.

—¿Un tesoro?

—No lo sé, pero si lo hubiera, sería maravilloso que lo descubriéramos.

Las mortecinas luces que marcaban el camino daban un toque fantasmagórico a los signos de las paredes. Se toparon con un par de trabajadores que salían de allí. Muy cerca se oían algunos golpes.

—Están trabajando en esa galería —le informó Ixchel—. Mi papá está ahí.

No siguió caminando. Dio la impresión de querer retroceder. No hubo tiempo para ninguna reacción porque en ese momento se escuchó una fuerte explosión, justo en el lugar donde Ixchel acababa de decir que estaban trabajando.

Una explosión que los dejó a oscuras, mientras todo empezaba a temblar a su alrededor.

5

La segunda visión

Se abrazaron uno al otro, por el susto, y para no caer al suelo. Para David, después del agitado viaje en helicóptero, aquello fue como la cereza del pastel.

Algunas piedrecillas cayeron desde el techo del pasadizo sobre sus cabezas.

—¡Cuidado! —lo alertó Ixchel.

Los dos se pegaron de espaldas a la pared más cercana, por si se producía un derrumbe, pero tras unos segundos de ansiedad con la respiración contenida, el peligro pasó. Entonces, en la oscuridad, se dieron cuenta de que se estaban apretando muy fuerte las manos.

—¿Qué ha sido... eso? —preguntó David.

—No lo sé —oyó la voz de Ixchel—. Tal vez una trampa, tal vez aire enrarecido o alguna bolsa de gas que estalló con una chispa. No es la primera vez que... —dejó de hablar de repente, y su voz se llenó de ansiedad al exclamar—: ¡Papá!

David no supo si su nueva amiga iba a correr por el pasadizo a ciegas, o si, por el contrario, retrocedería para buscar la salida. Imaginó que ella conocería el camino. Pero él no se atrevía a dar un paso. Estaba completamente a oscuras.

—¿Qué hacemos? —le preguntó.

—Ahí viene el equipo de ayuda.

Tenía un buen oído. David no escuchó el rumor hasta después. Procedía de su izquierda. Vio el movimiento de unas luces que se aproximaban.

Una linterna los enfocó.

—¿Qué hacen aquí? ¿Están bien?

—Sí, ¡mi papá está dentro! —informó Ixchel.

—¿Dónde ocurrió?

David no veía quién hablaba. Sólo su linterna, deslumbrándolos. Detrás llegaron más.

—Creo que en la tres —señaló Ixchel.

—De acuerdo, ¡váyanse de aquí, anden!

—¡Quiero ir contigo! —protestó ella.

—¡No, haz lo que te digo!

Ixchel bajó la cabeza y obedeció. Iniciaron el camino de regreso al exterior de la pirámide justo en el instante en que la luz eléctrica se restableció. Varios hombres pasaron a su lado, con palas y picos, por si fuera necesario usarlos.

No hablaron hasta llegar afuera. David estaba impresionado, y asustado por lo que le hubiera podido ocurrir al papá de Ixchel.

—¡David!

Era su mamá. Llegaba en ese momento a la entrada. Al verlo, sus ojos se dilataron de miedo. Él no se movió. Dejó que ella lo abrazara. Cuando la presión cesó, buscó a Ixchel. La niña estaba mirando hacia la entrada, esperando noticias.

Por todas partes había voces, expectación.

No tuvieron que esperar mucho. En menos de dos minutos, salieron los hombres del equipo de rescate y los trabajadores, entre ellos el papá de Ixchel. La chica lo abrazó feliz y él le sonrió para tranquilizarla. Luego todos se acercaron a Gloria Ibáñez.

—¿Qué ocurrió esta vez? —quiso saber ella.

—Creíamos haber hallado una cámara, pero al dar un golpe con el pico saltó una chispa y... no sé. Algún tipo de materia peligrosa explotó. Nosotros estamos bien, porque fue al otro lado de donde estábamos, pero la cámara...

—¿Quedó destruida?

—Creo que sí.

—Otra semana perdida —suspiró Gloria Ibáñez. Luego miró al hombre y agregó—: Aunque hubiera podido ser peor. Lo importante es que todos ustedes se encuentran bien.

David levantó la cabeza para mirar la Gran Pirámide, cada vez más envuelta en las primeras sombras de la noche, que hacían su inmensidad más notoria, y también su misterio. Era como si estuviera viva. La maleza que aún la cubría se agitaba movida por una suave brisa.

Su corazón se paralizó.

El rostro, ¡otra vez!

Y todavía más cerca, a unos 20 metros, con sus plumas rituales...

Mirándolo fijamente a él.

¿Es que nadie se daba cuenta de esa presencia?

—¡Allí! —gritó.

Fue muy rápido, demasiado.

Esta vez vio cómo la cabeza humana desaparecía, de manera fulminante, antes de que todos miraran hacia donde David señalaba.

6

SENSACIÓN DE PELIGRO

David y su mamá se detuvieron en la entrada de la tienda, discutiendo. Ixchel se había ido con su papá, para estar a su lado después del susto.

—¿Nadie va a creerme? —protestaba furioso.

—David, no seas necio —le reprochó ella.

—Papá era necio y tú siempre decías que era una de sus principales virtudes.

—Es diferente. Tu papá se ponía necio cuando su instinto le gritaba desde adentro.

—También algo me grita desde adentro.

—¡Nadie lo vio! —le repitió Gloria Ibáñez.

—¡Pues yo he visto dos veces esa cara, la cabeza, las plumas! Una vez, bueno, pero dos...

—Lo que te dijo Ixchel es cierto. La selva engaña, todo se mueve. Pudo haber sido cualquier cosa... un animal, por ejemplo.

—¿Con plumas?

—¡Hay muchos animales con plumas por aquí!

—¿Y con unos ojos mirándome fijamente, tanto, que podía vérseles el brillo de las pupilas?

—¡Válgame el cielo! —su mamá se llevó las manos a la cabeza—. ¡Y yo creí que tendríamos unas lindas vacaciones en las que podrías adquirir experiencia en este tipo de excavaciones!

—Bueno, igual lo serán. Seguro que mañana, de día, el tipo se aparece.

—Aquí no hay nadie más que nosotros, David —le recordó ella—. Este pequeño valle está deshabitado, porque las montañas y las nubes que lo rodean lo hacen inaccesible. Los trabajadores vienen de un pueblo que está a tres días de aquí, y los capataces y los encargados son expertos del Museo Nacional de Antropología. No hay nadie parecido a la persona que tú dices.

David se resignó. No iba a convencerla.

Sólo él sabía lo que había visto. Dos veces.

Si hubiera sido una, todavía lo habrían convencido. Pero dos...

Definitivamente, tendría mucho que explorar e investigar durante los siguientes días.

—Ve a bañarte y a prepararte para la cena —le pidió ella—. Tienes que contarme cómo te ha ido. Ni siquiera me has dicho qué tal tus calificaciones.

No lo había olvidado, no.

—Psé —se encogió de hombros—. Ya sabes que las matemáticas...

—Sí, ya sé —Gloria Ibáñez frunció el ceño cruzándose de brazos.

—No sé para qué diablos un arqueólogo necesita las matemáticas.

—David...

—Está bien, mamá.

Entraron en la tienda, y él fue a su cuarto. No era la primera vez que dormía en una tienda de campaña, pero sí era la primera vez que estaba cerca de la historia, en pleno corazón de un mundo fascinante, cerca de una joya del pasado de las que sólo se encontraban cada 100 años. Si su papá hubiera estado allí, la felicidad habría sido completa.

Su papá.

Perdido en alguna parte de aquellas montañas.

Probablemente nunca encontrarían su cuerpo, ni se sabrían las causas de su muerte.

Miró una vez más la pirámide, vestida de tinieblas. Se sintió sobrecogido por su magnificencia.

Después, empezó a prepararse para tomar un buen baño.

7
LA LEYENDA DE LA PIRÁMIDE

La cena estaba deliciosa. Parecía imposible que en aquel lugar, tan lejos de las comodidades mundanas, se pudiera ser tan feliz. Cuando acabó la segunda ración de postre, se dio cuenta de que no podía comer nada más. Y mientras cenaban habían hablado de todo. Bueno, de casi todo lo referente a él. Estudios, el internado en la Ciudad de México, puntos de vista, calificaciones...

Las dichosas calificaciones.

—Cuando acaben las clases, ¿puedo venir a ayudarte? —le preguntó a su mamá.

—¿No preferirías ir a una playa o a conocer Londres o...?

—Mamá...

—Bueno, está bien.

—¿Tú te irías un mes de vacaciones?

—Si me lo pides tú, sí.

—Entonces yo te pido que pases las vacaciones conmigo, pero aquí. Eso queremos los dos.

—De acuerdo —accedió su mamá.

—Y se lo debemos a papá, ¿verdad?

Esta vez no hubo respuesta. Gloria Ibáñez bajó la cabeza y sus ojos se llenaron de humedad. David sabía lo mucho que lo extrañaba, porque no sólo estaban casados, también compartían la pasión por el trabajo. Pensó que no debería de haber dicho aquello. Para los dos era duro. Él tenía que estar solo en la escuela, pero su mamá tal vez lo extrañaba en cada descubrimiento. Y más desde que, durante su búsqueda, se había tropezado con la Gran Pirámide.

La Gran Pirámide de Tasakbal.

Su papá habría dado media vida por algo así.

—Dijiste que me hablarías de la leyenda de la pirámide —le recordó David, cambiando de tema muy oportunamente.

Gloria Ibáñez se recuperó.

Levantó la cabeza de inmediato.

—No hay mucho que contar, pero desde luego es bastante sobrecogedor.

—¿Ah, sí? —él se interesó.

—Cuando encontré la pirámide y empezamos a traer equipos para limpiarla y buscar un acceso, hallamos unas inscripciones muy antiguas. Fue difícil interpretarlas. Dicen que la pirámide es la puerta del mundo, que quien entra en su corazón y atraviesa la última puerta jamás vuelve a salir, y que cualquier demonio ajeno morirá si intenta descubrir sus secretos.

—¿Tú crees en leyendas? —David tenía los ojos muy abiertos.

—No.

—¿Y a qué mundo se refiere?

—Ni idea, pero hace un par de semanas, en una cámara, encontramos nuevas inscripciones, y son todavía más singulares. ¿Has visto esas viejas películas del oeste, cuando los pieles rojas ponen una marca en el camino advirtiendo a las personas que si la atraviesan morirán? Pues las de aquí eran más o menos de ese estilo. En una decía que el mundo que vive más allá de la pirámide es absolutamente puro y que nadie, salvo sus habitantes, puede entrar en él debido a sus impurezas.

—¿Crees que esa pirámide y las otras, incluso las de Egipto, las construyeron los extraterrestres?

—No, ya sabes que no. Soy científica, y me guío por los hechos y las pruebas.

—Pero los mayas, los aztecas y todos los pueblos de México tienen cosas que podrían proceder de las estrellas. Mira el "astronauta" de Palenque.

—David, una cosa es lo que quisiéramos y otra la realidad. No lo olvides.

—Pero...

—Eh, eh, eh —lo interrumpió su mamá—. Te conozco y sé que ahora empezaremos a discutir horas sobre esto. Y no es que no me guste, pero aquí la vida comienza al salir el sol, y debo estar fresca y despejada para el trabajo. Además, necesitas dormir luego del viaje. ¿De acuerdo?

—Está bien, mamá.

No lo dijo muy convencido.

Pero ahí acabó la conversación. Su mamá se levantó y él la imitó.

Reconoció que, efectivamente, estaba muy, pero muy cansado.

8

Visita nocturna

Pensó que, a pesar del cansancio, no iba a poder dormir, pero al acostarse un sopor empezó a invadirlo, obligándolo a cerrar los ojos. Su emoción por estar allí, por la misteriosa cabeza emplumada, por la explosión, por la leyenda de la pirámide... desapareció en un instante. Así que de la conciencia pasó a la inconsciencia, y se durmió.

La cama era muy confortable. Dura, pero confortable. La temperatura, ideal, y bajo el mosquitero, no había algún peligro de despertar atacado por los piquetes de moscos.

Comenzó a soñar.

Lo curioso es que sabía que era un sueño; se veía a sí mismo haciendo todo aquello.

Entraba en la Gran Pirámide, daba con el pasadizo secreto, la ruta clave, y sorteaba hasta la última trampa. Finalmente, llegaba a una enorme sala que era también un templo, y en ella encontraba la inmensa figura de un hombre momificado. Bueno, no estaba en Egipto, pero en su sueño el hombre gigantesco estaba momificado, así que no iba a cambiar eso. En otra sala había algo aún más fascinante: una nave estelar, pequeña, pero en perfecto estado. Ésa era la prueba definitiva de que los antiguos estaban en contacto con las estrellas, que las pistas de Nazca en Perú y que el "astronauta" de Palenque en México tenían una relación. Con aquella nave, los humanos llegarían a las estrellas, y a él se le recordaría como el arqueólogo más grande de todos los tiempos.

David se cambió de lado, en pleno ensueño.

Entonces se dio cuenta de que, además del gigantón momificado, en la sala había alguien más.

Él.

Con su cabeza emplumada, sus ojos fríos y el rostro como los antiguos mayas. La piel contrastaba con los adornos de oro y la pedrería incrustada en la malla que le cubría el pecho y las caderas, así como con las ajorcas de los brazos y las piernas. Iba descalzo y no llevaba nada en las manos. Su cabello era muy negro, como el de Ixchel, y lo traía recogido con una cinta ornamentada.

David lo miró absorto.

¿El guardián de la pirámide? Tal vez.

—¿Quién eres? —le preguntó.

No hubo respuesta. El hombre levantó su mano derecha y le tocó el cabello. Parecía encantado.

David sabía que seguía soñando, pero el contacto era muy real. Demasiado.

No tenía miedo. El hombre parecía pacífico.

A pesar de eso, intentó despertar.

Abrir los ojos.

No pudo.

Le sucedía a veces, sobre todo antes de levantarse para ir a la escuela. Quería moverse y no podía. En estos casos, sabía que lo mejor era no perder la calma y esperar.

En unos momentos todo pasaba. Era un extraño estado de conciencia.

El hombre continuaba tocándole el cabello.

—Me llamo David.

Nada. Su rostro era una máscara.

De pronto abrió los ojos, sin más.

Estaba despierto.

Él seguía allí, a su lado, junto a su cama, pero dejó de tocarle el cabello.

Los dos se miraron en la penumbra, pues las luces del campamento apenas lograban iluminar el interior de la tienda.

—*Ku tzotz ionaabatum.*

David se estremeció al oír la voz. No sólo veía. Ahora también lo escuchaba. Y desde luego, eso era imposible.

No, claro que no.

Volvió a oír esas palabras y supo que, pese a todo, él estaba despierto y que aquello no era un sueño:

—*Ku tzotz ionaabatum.*

9

¡Desaparición en la noche!

Cerró los ojos.

Su corazón latía con fuerza aplastante, al igual que una locomotora desbocada. Aquello no podía estar sucediendo. ¡Era imposible!

Todo el mundo se reiría de él.

Llevaban allí semanas, meses, trabajando intensamente, sin que nada aconteciera, salvo los problemas de los que su mamá le había hablado, y al llegar él, le pasaban cosas el primer día. En unas horas había visto dos veces la cabeza emplumada de aquel hombre y ahora, por si fuera poco, él se le aparecía en persona, en su propia tienda, como si se tratara de cualquier cosa.

Era algo de locos.

Mantuvo los ojos cerrados y esperó. Ni respiraba. Trató de contar despacio, hasta 10. Ése era uno de

los buenos consejos de su papá. Claro que a partir del cinco, aceleró la cuenta.

¡Diablos! Quería abrir los ojos y salir de dudas.

Ya no sentía la presencia cercana del hombre. Tampoco oía su voz.

Así que...

Abrió los ojos.

Estaba solo.

Suspiró, y ya no lo pensó dos veces para averiguar de una vez por todas si dormía o no. Se pellizcó con saña. El dolor le hizo confirmar que para nada estaba dormido.

Así que si no dormía...

Se paró de un salto y miró al otro lado del mosquitero. ¿Era un efecto de la oscuridad o la lona de la parte frontal, donde estaba el cierre de entrada y salida de su habitación, se movía levemente, como si alguien acabara de pasar por allí?

¿Y él no había bajado bien el cierre?

Tenía que comprobarlo, así que se levantó y apartó el mosquitero de golpe. Ni siquiera se puso zapatos. Le bastaron tres pasos para llegar al cierre. Estaba subido. Alguien había entrado. Miró hacia donde se hallaban las mesas con los planos, pero no encontró evidencias.

Salvo que la puerta de acceso a la tienda también tenía el cierre subido. Alguien llevaba demasiada prisa para detenerse a dejar todo tal y como se encontraba al entrar en el lugar.

David no supo qué hacer.

Despertar a su mamá sería una tontería. No iba a creerle. Y si volvía a la cama, nunca sabría si aquel hombre era real.

Así que cruzó la tienda y llegó hasta la entrada. Sacó la cabeza.

Entonces lo vio.

Caminaba a buen paso, sin correr. Y lo hacía con una elegancia impresionante, la cabeza erguida, el porte altivo. Sus pies descalzos se movían por encima de la tierra sin hacer ruido. David pensó que la prueba de su existencia serían sus huellas.

Pero el suelo estaba lleno de huellas.

¿Quién era? ¿De dónde venía?

David esperó a que llegara a la pirámide. En cuanto el ser misterioso lo hizo, miró tras de sí, pero el chico ya se había ocultado en la tienda. Al reemprender el hombre su marcha, David salió y echó a correr. Alcanzó el extremo de la pirámide justo cuando su visitante nocturno se detenía, a unos 15 metros. La visibilidad allí no era buena porque, aunque había luna en cuarto creciente, cerca de la plenitud, las sombras distorsionaban todo.

¿Qué iba a suceder? ¿Y si el hombre se internaba en lo más profundo de la selva?

Contuvo la respiración y se concentró en su perseguido. No sólo era la prueba de que no había visto fantasmas o tenido alucinaciones, sino que, además, tenía que averiguar sobre él para alertar a su mamá. Tal vez corrían peligro.

Pero también podría tratarse de un curioso o de un ladronzuelo.

Aunque lo dudaba por su vestimenta, sus adornos y sus plumas, como los de los antiguos habitantes del país: mayas, aztecas, toltecas o de cualquiera de los diferentes pueblos mexicanos.

Esperó a ver, sin apartar sus ojos de él, qué hacía o a dónde se dirigía.

Hasta que, de repente, se introdujo en la pirámide, como si la atravesara, y desapareció.

Así de fácil.

10

COMPARTIENDO INFORMACIÓN

Cuando despertó por la mañana, todo el mundo ya estaba trabajando.

Al acostarse de nuevo, después de aquella visita, respiraba agitadamente. Pasó un buen rato mirando el cierre de su habitación, hasta que lo venció el sueño. Pero ya no tuvo pesadillas ni visitas. Durmió placenteramente. Su mamá no lo había despertado para dejarlo descansar a gusto, así que, al levantarse estaba fresco como una lechuga.

Cuando ella apareció, David acababa de bañarse y vestirse, y se disponía a desayunar.

—Buen día, dormilón —lo saludó con un beso—. ¿Lograste descansar?

¿Qué debía hacer? ¿Se lo contaba? No le creería. Su mamá se pondría pesada, y le diría que no podía tratarse más que de un sueño. No tenía ningún sentido que lo tacharan de loco. Lo mejor sería callar y esperar. Tenía que ser cauteloso.

Sabía algo que los demás no sabían: que allí... había alguien no identificado.

Y también sabía que ese alguien sentía cierta curiosidad hacia él.

Así que tal vez regresara.

Debía estar preparado para ello.

Su mamá regresó a donde se había producido la explosión del día anterior. Los daños eran menos importantes de lo que había imaginado, pero una vez más, los pasadizos interiores de la Gran Pirámide no conducían a ninguna parte, sólo se trataba de ilusiones o trampas, laberintos sin salida o simples engaños.

Quienes habían construido Tasakbal debían estar riéndose desde sus tumbas.

—Si hay una puerta, la encontraremos —le repitió su mamá antes de volver al trabajo.

—¿E Ixchel? —preguntó David.

—Es agradable, ¿verdad? Y muy lista. Será una buena arqueóloga, como su papá. ¿Te contó que él es uno de los jefes de su pueblo?

—No.

—Le tienen mucho respeto. Es un gran hombre. Y la mamá de Ixchel es una princesa.

—¿En serio?

—Como lo oyes —estaban ya fuera. Gloria Ibáñez señaló hacia la derecha—. La tienda del papá de Ixchel es aquélla.

David se encaminó hacia allí. Al llegar no vio a nadie, pero un trabajador le dijo que Ixchel estaba ayudando a limpiar uno de los nuevos accesos laterales, que empezarían a excavar si al final no descubrían nada en el principal. No tuvo que caminar mucho. El campamento era pequeño y todo el mundo estaba en torno a la pirámide. Al verlo, Ixchel se dirigió hacia él con una sonrisa.

—Hola, ¿cómo estás?

—Bien —ni siquiera esperó un poco antes de formular la pregunta—. ¿Sabes qué significa *Ku tzotz ionaabatum*?

—Tu pronunciación no es muy buena —Ixchel se echó a reír—. Significa "dios de cabello dorado".

—¿En serio? —David abrió los ojos como platos.

Aquello tenía sentido.

Ese hombre parecía fascinado por su pelo.

—¿Dónde has oído esas palabras? —se extrañó la chica—. Es el antiguo lenguaje de mi pueblo. Ya no suele hablarse.

—Entonces, ¿cómo te lo sabes? —le respondió él para evadir la respuesta.

—Porque mi mamá me lo enseñó.

—Es una princesa, ¿verdad?

Intentaba desviar la conversación, aunque también le encantaba que ella fuera hija de una princesa y un jefe. Ixchel no lo dejó.

—No has contestado mi pregunta —dijo.

—Bueno —él se encogió de hombros—. Lo dijo uno de los trabajadores cuando me vio pasar.

—No es cierto.

—Sí lo es.

—No, no lo es —insistió ella—. Ya nadie de por aquí habla esa lengua. ¿Por qué me engañas?

David se sintió atrapado. No quería mentirle a Ixchel, pero si le decía la verdad ella también pensaría que estaba loco.

Ella esperaba la respuesta.

—Está bien —se rindió David—. Te lo diré, pero si te ríes...

—Nadie se ríe de un amigo.

—Anoche tuve una visita.

—¿Una visita?

—El hombre de las plumas, el de la cabeza que vi dos veces en el día.

—¿En serio? —ahora era ella la que tenía los ojos muy abiertos.

—Apareció junto a mí, en la cama. Creí que era un sueño, hasta que lo oí decir eso. Me desperté porque estaba tocando mi cabello.

—¿Y qué hizo?

—Se fue cuando desperté.

—¡David!

Le creía. Ya no dudaba de él. Pero ahora su sorpresa era tanta como su inquietud.

—¿Quién podrá ser, Ixchel?

—No lo sé.

—Vestía ajorcas, adornos de oro y pedrería. Su penacho era fantástico.

—Ya no hay nadie que vista de esa manera; es increíble —suspiró Ixchel.

—Iba a examinar el lugar por donde se esfumó.

—¿Lo viste desaparecer? —ella se estremeció.

—Ven —David comenzó a caminar tomando a Ixchel de la mano.

11

EL PASADIZO SECRETO

No había ninguna puerta, nada que indicara que por allí se entrara o saliera de la pirámide. Examinaron, en vano, las piedras de la base y las del primer piso. También buscaron huellas, indicios, pero el resultado fue el mismo. El desaliento los invadió en cuestión de minutos.

—¿De verdad se esfumó por aquí?

—Sí. Parecía atravesar las piedras.

—¿Hablas de...?

—Igual que un fantasma, sí —corroboró David.

Ixchel miró hacia arriba.

—¿No habrá trepado por las rocas? —vaciló.

—No. Fue como si se fundiera con las piedras de la base. Dio un paso hacia ellas y se evaporó.

La niña estaba muy impresionada.

—¿Me crees? —quiso saber él.

—Sí —asintió ella—. No tendría sentido que lo estuvieras inventando. Tu mamá me dijo que eras tranquilo y poco fantasioso. Además, la descripción que hiciste del hombre y de lo que llevaba encima... es muy precisa. Hay detalles que difícilmente podrías haber inventado.

—Entonces, ¿sabes qué era?

—Podría ser un guardia, un guerrero, un explorador... o un sacerdote.

Se miraron con asombro. No hacía falta decir que ya no había guardianes, ni guerreros, ni exploradores, ni sacerdotes. Habían pasado cientos de años desde entonces.

Pero, ¿qué sentido tenía todo aquello?

—¿Se lo decimos a mi mamá?

—¿Te creería?

—Lo dudo —se resignó David.

—Entonces guardemos este secreto y sigamos investigando, ¿te parece?

—Sí —lo dijo con ciega determinación—. Sólo espero que no sea peligroso.

—¿Tienes miedo?

—Yo no. Lo decía por ti.

—Pues no te preocupes por mí. Ésta es mi tierra, ¿recuerdas? Algún día seré como mi papá, o como tu mamá. Quiero descubrir todos los misterios que esta selva encierra.

—Mi papá decía lo mismo —el rostro de David se ensombreció de repente.

—Perdona —Ixchel se disculpó e hizo un gesto de profunda tristeza.

—No importa. Ahora debemos decidir qué hacer. Y mientras él hablaba, se apoyó en la pirámide.

Inesperadamente, el pesado bloque se apartó, en silencio, como si girara sobre unos goznes invisibles, dejando a la vista un pasadizo secreto.

12

PRISIONEROS DE LAS SOMBRAS

Se había abierto un espacio lo suficientemente grande como para permitirles a ambos el paso. Se miraban con gran asombro. El susto y la incredulidad golpeaban sus mentes.

—¡Ixchel! —dijo David.

—¡David! —dijo Ixchel.

Ella se acercó primero, despacio, y metió la cabeza por el hueco. Retrocedió al instante, temerosa, y miró de nuevo a su compañero.

—No se ve nada —explicó—, pero de seguro hay un pasadizo.

—¡Se fue por ahí! —dijo él—. ¡No atravesó la piedra, sólo abrió esta puerta secreta!

—Entonces, ¿seguirá ahí dentro?

—¿Puede alguien vivir dentro de una pirámide?

—Si es así, ¿dónde?

Tenían muchas preguntas aguijoneándoles el cerebro, pero ninguna respuesta. Miraron a su alrededor, por si alguien había visto algo, pero estaban solos. Todos estaban trabajando al otro lado.

Era el momento de la verdad.

—¿Avisamos a mi mamá? —dudó David.

—¿Y si la puerta se cierra y no podemos volver a abrirla nunca más?

—¿No querrás...?

—¿Por qué no? —dijo Ixchel con naturalidad y convencimiento—. Sea como sea, parece que encontramos el acceso secreto de la pirámide. Así que nos pertenece. Tenemos derecho a ser los primeros en investigar.

—¿A oscuras?

Ixchel se llevó una mano al bolsillo trasero de sus pantalones. La mano reapareció sosteniendo una pequeña linterna negra, muy potente, no mucho más grande que una pluma.

—Siempre la traigo —le sonrió—. Una buena arqueóloga debe estar preparada para todo.

Un hormigueo recorrió la espina dorsal de David. Lo conocía. Era la señal de que algo extraordinario estaba por suceder, y de que él sería el protagonista. Su papá le había dicho muchas veces: "Hay momentos en que la adrenalina se te dispara; entonces debes seguir tus impulsos, obedecer a tu instinto.

Intentar dominarlo no sirve de nada. La diferencia entre el éxito y el fracaso depende de eso".

—De acuerdo —asintió—. Pero si no encontramos nada o corremos peligro, nos salimos.

—Bien —concedió Ixchel.

Fue la primera en entrar, linterna por delante. David la siguió, admirándola. ¿Por qué no había ninguna niña como Ixchel en su escuela? Sería fantástico que siempre fuera su amiga.

Tuvo que olvidarse de eso para concentrarse en lo que estaba haciendo.

—Fíjate, David —indicó ella—, el camino desciende ligeramente.

Ya estaban dentro de la pirámide, aunque sólo habían dado un pequeño paso al otro lado del muro de piedra.

Un paso que, después, acabó convirtiéndose en una gran distancia.

Ixchel apoyó su pie en una enorme losa, la primera del camino que llevaba al interior.

—¿Qué...?

David no pudo acabar la frase. Se oyó un rumor, y para cuando quisieron reaccionar, la piedra, que se había desplazado para mostrar la entrada, regresó a su posición original. Era inútil intentar detenerla.

Hizo un chasquido sordo cuando volvió a quedar fija en el muro.

—¡Ixchel! —gritó David.

Retrocedieron asustados. Presionaron todos los rincones del muro y la losa que había accionado el resorte. En algún lugar tenía que haber un mecanismo similar al del otro lado, pero no dieron con él por más que buscaron, y acabaron rendidos.

Sabían lo que eso significaba.

—¡Estamos prisioneros en la pirámide! —anunció Ixchel con la voz impregnada de espanto.

13

Al borde de la muerte

No valía la pena quejarse ni discutir sobre la conveniencia de haber pedido ayuda. Ambos lo sabían, así que no hubo recriminaciones.

Iluminados por la linterna, se miraron.

Tenían miedo, pero no querían demostrarlo.

—¿Qué hacemos? —preguntó Ixchel.

—Nadie sabe que estamos aquí, así que lo mejor es seguir. Si el pasadizo es el bueno, llegaremos hasta el corazón de la pirámide, y si no conduce a ninguna parte...

—¿Y si mejor volvemos a buscar el mecanismo que abre la puerta?

—De acuerdo.

Recorrieron el muro interior palmo a palmo, presionando aquí y allá. Tocaron la bóveda superior, sin levantar mucho las manos porque el techo era muy bajo. Caminaron una decena de metros a lo largo del pasadizo. En ningún caso encontraron nada. Su única alternativa, como bien había dicho David, era seguir y ver hasta dónde podían llegar.

Si el hombre misterioso se había metido por allí, significaba que el pasadizo conducía a algún lado.

—Mejor no perdamos tiempo —dijo Ixchel.

David entendió sus palabras: ignoraba cuánto podían durar las pilas de la linterna.

Y si se quedaban a oscuras, estarían perdidos.

Irremediablemente.

Ixchel tomó la iniciativa, y dio los primeros pasos, linterna por delante, para iluminar el camino. Iban de la mano, David casi pegado a ella. En los primeros metros que avanzaron, el único cambio en la ruta fue que ésta iba descendiendo poco a poco. Después, se detuvieron al llegar a una cámara de mayores dimensiones.

Una cámara con dos nuevos accesos horadados sobre la roca.

—¿Cuál seguimos? —preguntó ella.

—¿El de la derecha?

Ixchel se encogió de hombros.

Se internaron por el pasadizo de la derecha. Las losas del suelo no tenían polvo y eran de piedra, así que no había huellas de ningún tipo. La ausencia de polvo no pasó inadvertida para ellos, aunque no lo comentaron. Cada uno trataba de mantener la calma, para no alarmar al otro. Apenas 10 metros después, el pasadizo quedó interrumpido sin más.

Buscaron otro dispositivo de apertura, pero fracasaron en su exploración.

—Regresemos —suspiró David.

Volvieron a la cámara y tomaron el pasadizo de la izquierda. Ni siquiera se dieron cuenta de que cada vez se movían más rápido, y sin tomar precauciones. El camino parecía monótono.

Eso los traicionó.

Unos metros después, el camino comenzó a hacerse más angosto. Iba uno detrás del otro, y gracias a que seguían de la mano, evitaron una tragedia.

El pie de Ixchel volvió a pisar una losa que, en apariencia, era como todas las demás.

Se escuchó un "clic".

Y detrás de ella, el suelo se abrió inesperadamente bajo los pies de David, dispuesto a tragárselo.

David cayó hacia el abismo.

—¡Nooo! —gritó, sabiendo que se encontraba al borde de la muerte.

14

LOS HABITANTES OCULTOS

Durante una fracción de segundo, David sintió que caía, y un frío glacial le inundó la columna vertebral. En ese instante, pensó en sus papás. Luego, casi al momento, sintió la mano de Ixchel.

Firmemente sujeta a la suya.

Dispuesta a no soltarlo.

—¡David, aprieta fuerte!

La chica también se había desplomado hacia atrás, por lo que la linterna estaba en el suelo. Ixchel sostenía a David como si su mano fuera una poderosa tenaza. Por encima de su cabeza, se veía el débil resplandor de la linterna, que por fortuna no se había roto al caerse. Sin embargo, las sombras los envolvían casi por completo.

—¡Ixchel! —gimió David muy asustado.

—¿Puedes apoyar los pies en alguna parte?

Lo intentó, pero sólo había vacío a su alrededor.

—¡No!

—¡Dame la otra mano!

La tendió hacia arriba, y encontró la de su compañera. Pensó que ella no tendría la fuerza suficiente para jalarlo y ponerlo a salvo.

—Ahora no te muevas —jadeó ella.

David contuvo la respiración. Pensó que, fuera como fuera, iba a caer, y que eso sería una terrible jugarreta del destino. Luego se dio cuenta de que Ixchel estaba consiguiendo retroceder. La chica llegó al límite de sus fuerzas.

—Inténtalo, David, ¡inténtalo!

Dejó libre su mano derecha, y casi gritó de alegría al ver que podía sujetarse de la piedra.

—¡Ya está!

Justo a tiempo.

Ella le soltó la izquierda en ese momento.

David quedó colgado de sus manos.

—¿Listo? —oyó decir a Ixchel, que se había arrodillado al borde del agujero.

David hizo un gran esfuerzo. Flexionó los brazos y ganó altura. Su cabeza llegó a ras de suelo y entonces notó cómo, con medio cuerpo fuera, Ixchel tiraba de él hacia arriba, sujetándolo de la camisa, primero, y de los pantalones, después.

El resto fue mucho más fácil.

Con un último impulso salió del agujero.

Quedaron los dos jadeando, frente a frente, apoyados en las paredes del pasadizo. La linterna estaba a un par de metros, iluminando al otro lado, lo cual daba a sus siluetas una apariencia fantasmal. Ixchel acabó levantándola.

Iluminó el agujero abierto a sus espaldas.

No se el veía fondo.

—Puede ser un cenote —dijo ella—. Ya sabes, un pozo de agua.

—Tenemos que seguir —David señaló la linterna, temiendo cada vez más que se quedara sin pilas—, pero sin correr.

—No hace falta decirlo —suspiró ella—. Lo siento mucho. Fui imprudente.

—No fue tu culpa.

Reanudaron el camino. A lo largo de los primeros metros, los chicos exploraron lentamente. Ixchel presionaba con la punta del pie cada losa antes de confiar en ella. Poco después, las losas desaparecieron de la senda y el pasadizo cambió, haciéndose mucho más grande.

—Es imposible que aún estemos dentro de la pirámide —reflexionó Ixchel—. Avanzamos en línea recta sin parar.

—Entonces, tarde o temprano, llegaremos al exterior, ¿no? —dijo David esperanzado.

—¡Mira!

La linterna iluminó varias inscripciones y dibujos. No parecía que fueran antiguos, porque tenían colores muy vivos.

—¿Entiendes algo? —quiso saber David.

—No, pero claramente se trata de la vieja lengua de estas tierras.

Las inscripciones y los dibujos continuaron a lo largo de un centenar de metros, siempre en línea recta, aunque el pasadizo ya no descendía. Perdida de nuevo la precaución tras su incidente con el agujero, llegaron a una gran cámara en la cual había ocho pasadizos más.

—¡Oh, no! —gimió David.

Probablemente sólo uno de los pasadizos los llevaría a la salvación.

Pero, ¿cuál?

No tuvieron tiempo de pensarlo.

—¿Escuchas? —susurró Ixchel.

Un murmullo claro, cada vez más audible, provenía de uno de los pasadizos de la derecha.

—David, tengo miedo.

¿Y él no? Tuvo que tragárselo.

Por el pasadizo vieron algo más.

Un resplandor.

—Deben estar... buscándonos... y han dado con... otra entrada... —dijo Ixchel no muy convencida.

Llevaban poco tiempo desaparecidos. Era muy pronto para que alguien notara su ausencia. Y ya estaban muy lejos de la Gran Pirámide de Tasakbal.

Contuvieron la respiración.

Escuchaban el murmullo allí mismo.

Y el resplandor se hacía más grande, cada vez más luminoso.

Tres, dos, uno...

—¡David! —Ixchel casi se desmaya al verlos.

De una entrada que comunicaba al pasadizo con la cámara, comenzaron a aparecer hombres que llevaban antorchas.

Hombres de piel oscura, semejantes al desconocido que David había visto la noche anterior, con las mismas plumas y adornos.

Los verdaderos habitantes de aquel mundo.

15

En manos del pasado

Eran 12 hombres. Poco a poco, fueron entrando en la cámara, mirando fijamente a los jóvenes intrusos. David reconoció entre ellos a su misterioso visitante nocturno. Estuvo a punto de levantar una mano para saludarlo.

Ixchel temblaba.

—¿Sabes quiénes son? —le susurró él.

—No.

—Pero...

—¡Nunca los había visto, David! ¡Es como... como si hubiéramos vuelto al pasado!, ¿no lo entiendes? ¡Mira sus caras y sus ropas! ¡Es alucinante! ¡Son mis antepasados, pero no los de hace 50 o 100 años, sino de los tiempos de Cortés!

—Pues ellos no parecen estar muy sorprendidos de vernos aquí.

—¡*Beyó*!

La voz, más bien la orden pronunciada por uno de los hombres, cortó inicialmente su discusión.

—Eso significa "basta" —tradujo Ixchel.

—¡*Beyó*! —repitió el hombre con más fuerza.

Ixchel calló.

El mismo hombre avanzó hacia ellos, mejor dicho, hacia él. Al llegar frente a frente, levantó una mano y le tocó el cabello. De nuevo eso.

Su cabello rubio.

—*Ehe* —asintió el hombre con la cabeza.

—*Ku tzotz ionaabatum* —habló el hombre que David ya conocía, repitiendo la misma frase que le había dicho en la noche.

—Soy su amigo —David se atrevió a decir.

Los otros hombres se aproximaron. Todos miraron atentamente su cabello, aunque ninguno lo tocó. El que parecía el jefe volvió a hablar.

—*Ehe, ku tzotz ionaabatum*.

—*Ehe* significa "sí" —aclaró Ixchel a su amigo.

O sea que el hombre acababa de decir "Sí, dios de cabello dorado".

—¿Piensas lo que pienso yo? —gimió David.

Su amiga no le contestó. No era necesario.

El hombre inclinó la cabeza delante de David al tiempo que levantaba sus brazos. Después, hizo una larga y lenta reverencia. Llena de adoración.

Los demás lo imitaron.

David estaba pálido.

Miró a Ixchel. Ella tenía los ojos dilatados. La sorpresa apenas les permitía hablar.

O todos estaban locos, o aquellos tipos...

—*Kinich Ahau* —cantó el jefe del grupo.

—¡*Kinich Ahau*! —repitieron los demás.

—Te está llamando "sol" —le explicó Ixchel—. Es el dios del cuarto cielo.

Los hombres se incorporaron. El jefe retrocedió y empezó la retirada a través del mismo pasadizo por el que habían llegado. Los chicos comprendieron que era absurdo pensar que los dejarían donde los habían encontrado. Uno de ellos sujetó a Ixchel del brazo, y otro se puso detrás de David sin tocarlo. La comitiva inició su marcha.

Iban a llevárselos.

Pero, ¿a dónde?

16

La ciudad perdida

El camino a través de los pasadizos fue, desde ese momento, más fluido. Se estaban alejando del campamento y de la pirámide. Los hombres, además, conocían muy bien cada rincón de la senda. Dejaron atrás varias cámaras con numerosos accesos y bifurcaciones, probablemente dispuestas para despistar a quienes se atrevieran a caminar por allí. Ixchel y David estaban separados por tres hombres, así que la comunicación entre ellos era imposible, a menos que lo intentaran en voz alta.

La chica se quejó en dos ocasiones:

—¡Eh, cuidado, me haces daño!

La segunda vez lo hizo en la vieja lengua:

—¡*Kinam*! ¿Entiendes? ¡*Kinam*!

Todos la miraron, pero no dijeron nada y tampoco interrumpieron el paso.

Dos veces, la galería que atravesaron se tornó ascendente, y tres, descendente. Eso fue antes de que el sendero empezara a reptar, caracoleando entre rocas, con constantes subidas y bajadas.

David se dio cuenta de que las antorchas apenas desprendían humo. Cuando, uno a uno, los hombres comenzaron a apagarlas, entendió que iban a salir a la superficie. Y en efecto, a menos de 20 metros, vieron unos tímidos rayos de sol inundando las sombras por entre una cortina de vegetación.

David no tenía idea del lugar en el que se encontraba pero, por la hora, y tras darse cuenta de que desde que entraron en la pirámide habían transcurrido unos 50 minutos, se imaginó que, por lo menos, se encontraban al otro lado del Valle del Sol.

Tenían que haber atravesado las montañas.

Hizo lo posible por acercarse a Ixchel, y lo consiguió. Su escolta lo siguió en silencio.

—¿Crees que han estado ahí, ocultos en la selva, todos estos años?

—¿Qué más puede ser?

—Pero, ¿cómo?

—Me parece que pronto lo sabremos.

El jefe del grupo fue el primero en atravesar la cortina de maleza. A continuación lo hicieron cinco hombres. Ixchel y su guardián entraron antes que David y su escolta.

Al otro lado, las respuestas empezaron a llegar. Agolpándose en sus desconcertados ánimos.

Estaban en la ladera de una montaña y a sus pies nacía un camino que descendía hacia un valle aún más pequeño que el Valle del Sol. Lo asombroso, sin embargo, eran dos cosas. La primera, las altas montañas y las nubes que cerraban la visibilidad desde arriba. La segunda, la hermosa ciudad, junto a un riachuelo y a un lago, llena de colorido y de gente, que se extendía por entre árboles altísimos y frondosa vegetación. Incluso sobrevolando el valle en avión o helicóptero en un día despejado, era imposible ver algo, salvo el manto de la selva allá abajo.

—¡Una ciudad perdida! —gritó David, alucinado, tras recuperarse del asombro.

17

¡HALLAZGO INESPERADO!

La comitiva apenas se detuvo. El jefe inició el descenso, y todos lo siguieron.

David sentía punzadas en la cabeza, un zumbido en los oídos, la sangre corriendo desbocada por sus venas y el corazón disparado.

Allí, tan cerca del campamento.

Siglos y siglos de distancia separados tan sólo por unos cuantos metros.

—Ixchel, esto es... increíble.

—Son auténticos —ella también estaba impactada—. Auténticos y reales.

—Es el mayor descubrimiento de la historia, ¿no te das cuenta? Seremos famosos. ¡Hemos encontrado una civilización perdida! ¡Es como si hubiéramos dado con extraterrestres!

—Tranquilízate, David —le aconsejó ella.

—¿Que me tranquilice? ¡Cualquier arqueólogo o antropólogo daría la vida por algo así! ¡Yo sólo tengo 14 años! —la miró de reojo y no pudo evitar agregar—: Bueno, casi.

Ixchel no pareció notar el detalle. Su rostro estaba muy serio; se había ensombrecido por la tristeza después del primer atisbo de sorpresa.

—¿Es que no te das cuenta, David?

El muchacho se encontró con el brillo de sus ojos y no precisamente de alegría.

Más bien de humedad.

—¿Darme cuenta de qué?

—¿Crees que nos van a dejar ir como si nada?

Fue una revelación certera y directa. Lo comprendió de pronto.

Sí, el mayor descubrimiento de la reciente historia de la humanidad, pero si ellos los habían conducido a su ciudad, era evidente que jamás les permitirían salir para contarlo. Por los pasadizos secretos de la pirámide los habían estado espiando, observando, evaluando. Si hubieran querido establecer un contacto, ya lo habrían hecho.

También algo se le aclaró de repente.

Si estaba allí, era por su cabello rubio.

Lo creían un dios, alguien excepcional.

¿Cómo iban a dejar marchar a un dios vivo que había llegado hasta ellos por alguna razón?

David pensó en su mamá.

Podía pasarse la vida allí, glorificado por aquellas personas, y su mamá se volvería loca. Primero su papá, ahora él.

No era justo.

—Escaparemos, no te preocupes —la animó—. No podrán vigilarnos siempre.

Los chicos prestaron atención al camino y a la maravillosa vista de aquel universo que los trasladaba al pasado, a los grandiosos tiempos de los pueblos mexicanos.

Las ruinas descoloridas, los vestigios culturales, los hábitos, los adornos, enseres y dibujos que en los museos terminaban siendo un pálido reflejo de otros tiempos, allí eran una realidad viva. Ninguna ruina, todo vibrante y brillando con luz propia.

Una ciudad espléndida.

Y llena de gente.

Gente que salía en tropel de las casas, se concentraba en las calles y observaba aquel prodigio.

El joven dios de cabello dorado.

David miró sus caras, conmovido por su asombro. ¿Cómo vivir siendo un ser privilegiado, un dios? No quiso ni pensarlo.

Por encima de la fascinación, lo que deseaba era echar a correr y reunirse con su mamá.

Un sueño.

La comitiva pasó por una avenida principal, en cuyo extremo se alzaba otra pirámide de dimensiones reducidas. Parecían dirigirse hacia ella. Más de mil personas, hombres, mujeres, niños, niñas, ancianos y ancianas los acompañaban.

David e Ixchel ya no hablaban, miraban todo con expectación. No dejaron de hacerlo hasta que todos se detuvieron al pie de la pirámide.

De su parte más alta, del pequeño templo que la coronaba, surgió una figura.

A primera vista, a David le pareció que era otro de ellos, por la ropa.

Pero no lo era. Porque el cabello de aquel hombre era rubio, muy rubio.

Exactamente tan rubio como el suyo.

Y aunque en su fuero interno lo considerara imposible, mientras sus ojos se abrían, de sus labios fluyó una sola palabra que era todo un mundo.

Una palabra que le inflamó el corazón:

—¡¿Papá?!

18

EL HIJO DEL SOL

David quedó paralizado por un instante.

Su papá.

No había lugar a dudas.

Sintió los ojos de Ixchel fijos en él, pero ya no pudo girar la cabeza para enfrentarse a ellos. Todo su ser estaba pendiente de aquella figura que empezaba a bajar la escalinata central de la pirámide.

Entonces gritó:

—¡Papá!

Y corrió escaleras arriba.

Fue tan repentino que tomó desprevenidos a todos: los que estaban con él y los que acompañaban a Jorge Paz en su solemne descenso. Aun así, no pudo distanciarlos demasiado. Cuando estaba a menos de cinco metros de su papá, quien llevaba dos años desaparecido, éste se detuvo, con el ceño fruncido. David logró llegar hasta él, e intentó abrazarlo, pero apenas consiguió rozar su ropa digna de un sumo sacerdote, pues sus perseguidores lograron alcanzarlo en ese preciso instante.

Y le impidieron seguir.

Aunque lo más terrible era la cara de Jorge Paz: molesta, seria y revestida de solemnidad.

—¡Papá, soy yo! ¡Soy David! —le gritó.

El hombre apenas cambió el semblante; muy serio, con una ilustre superioridad iluminándole el rostro y el porte.

Sin embargo, habló.

Y lo hizo en la misma lengua.

—¿Cómo pretendes tocar al dios Sol? —preguntó.

Su séquito quedó impresionado al ver que conocía la lengua del recién llegado.

—¡Papá! Pero, ¿qué te pasa? ¡Mamá está muy cerca, a una hora de aquí! ¡Papá, por favor!

—¡Dile que eres su *mehen*, su hijo! —oyó que Ixchel le aconsejaba a gritos.

—*Mehen* —dijo David—. ¡*Mehen*!

Se oyó un murmullo general. Unos asentían con la cabeza. Otros, fascinados, contemplaban la escena. Todos esperaban el desenlace del episodio.

—Sé que eres mi hijo —anunció Jorge Paz con la misma solemnidad—. Y has venido a mí para ser dios a mi lado. Pero no te comportas como uno.

—Papá... —David quería llorar—, ¿qué te pasa? ¿Estás... fingiendo o algo así por ellos? ¿No me reconoces? Papá, ¿qué te pasa?, por favor...

—David, mira lo que tiene en el lado derecho de su cabeza —indicó Ixchel.

—¡*Ma tan*! —le ordenó uno de los hombres para que se callara.

David comprendió lo que su amiga quería decir. Estaba a la izquierda de su papá, pero le bastó con estirar un poco el cuello para ver lo que ella le decía.

Jorge Paz tenía una gran cicatriz sobre la sien derecha. Por esa razón había desaparecido y no se había sabido nada de él.

Un accidente. Y había perdido la memoria.

Ahora era el gran dios del pueblo perdido.

—¡Oh, no! —gimió David abatido.

Jorge Paz levantó sus manos. La gente dejó de murmurar o moverse y quedó expectante.

El papá de David pronunció una sola palabra:

—¡*Ziicab*!

Y todo el pueblo le respondió, alborozado:

—¡*Ziicab*!

¿Qué podía significar aquello?

19

EL *CHAC MOOL*

Dos hombres sujetaron a Ixchel, uno por cada brazo. Comenzaron a tirar de ella y la chica trató de resistirse sin mucho éxito.

—¡David!

El muchacho bajó nuevamente las escaleras, olvidándose momentáneamente de su papá para acudir en ayuda de su amiga. Por su condición de hijo del dios, no se lo impidieron, aunque no por ello logró que la liberaran.

—David, tengo miedo —le reveló Ixchel.

—Y yo —dijo él sincerándose.

Acababa de encontrar vivo a su papá y no le servía de nada. Al contrario, la pesadilla continuaba. Y todo iba de mal en peor.

Los dos hombres jalaron a Ixchel.

—Voy con ella —les dijo David con señas.

De nuevo, nadie se lo impidió. Era como si una vez aceptada su presencia allí, ya lo consideraran uno de los suyos. David giró la cabeza y vio a su papá subir la escalinata de la pirámide.

El resto de los habitantes del pueblo deshizo la compacta masa para volver a sus casas, comentando gozosos su suerte por la aparición de un nuevo dios de cabello dorado. En un abrir y cerrar de ojos, todo volvió a la normalidad.

Extraordinario.

—Están locos, ¡locos! —exclamó él.

—No, David. Viven en su mundo, desconocido para nosotros —justificó Ixchel.

—Tenemos que escapar de aquí pronto —suspiró David—. Es necesario que le cuente esto a mamá y que rescatemos a papá. Hay que llevarlo a un hospital y ayudarle a recuperar la memoria.

No pudieron seguir hablando. Llevaron a Ixchel a una cabaña próxima a la pirámide. Los hombres que la habían acompañado hasta allí se quedaron afuera, en la puerta, custodiándola. Nadie impidió que David entrara para estar con su amiga.

Los dos se miraron en silencio, abrumados por lo sucedido desde que entraron en la Gran Pirámide.

—Es asombroso —murmuró David—. Todo esto lo es, y también lo de mi papá.

—¿Viste la cicatriz?

—Sí.

—Probablemente sufrió un accidente, y ellos lo encontraron. Cuando despertó, se vio convertido en un dios, y aceptó el papel. ¿Quién no lo haría? Si no puede recordar absolutamente nada.

—Ixchel, ¿qué significa *ziicab?* —preguntó David.

Ella bajó la cabeza.

En sus ojos brotó una cascada de miedo, pero un miedo atroz, situado más allá de la razón.

—Ixchel, dímelo —insistió David.

—Significa ofrenda, sacrificio —explicó Ixchel, susurrando apenas.

—¿Qué?

—Los antepasados hacían sacrificios humanos en el *chac mool*, para celebrar grandes momentos.

—¿Un sacrificio? —no podía creerlo—. ¿Pero a quién van a...?

Ya no acabó la frase.

El miedo de Ixchel se convirtió en llanto.

Él era el hijo del dios. Ella no.

20

EN EL ALTAR DEL SACRIFICIO

No estuvieron mucho rato allí, y la única vez en la que intentaron salir por la puerta para escapar, los dos guardianes lo impidieron. David podía hacerlo, ella no. Así que él optó por hablar con su papá, pese a que no quería dejar sola a su amiga.

—Ve con tu papá —insistió Ixchel—. Ésa es mi última oportunidad.

—Volveré.

—Sería mejor que huyeras de aquí, David —dijo ella desalentada.

Él salió de la tienda y fue a la pirámide. Sus pasos eran seguidos con atención reverente. Ni siquiera parecían malas personas, al contrario. Una mujer le tendió un hermoso racimo de plátanos, inclinándose ceremoniosamente. Otra le regaló una flor. Un hombre que llevaba un animal, recién cazado con arco y flechas, lo puso a sus pies. Lo único terrible de sus costumbres eran los sacrificios humanos en el *chac mool*. David conocía bien esa figura. Se trataba de una estatua yacente, boca arriba, en cuya superficie el sumo sacerdote sacrificaba a la víctima. La sangre caía por un conducto y se recogía en un vaso de oro.

Había visto muchos *chac mool* con su papá, y en foto, y siempre pensó lo mismo: cuántas personas y animales habrían muerto terriblemente en ellos, bajo los ritos ancestrales en nombre de los dioses que habían poblado la tierra desde que el mundo era mundo.

Llegó al pie de la pirámide y subió los escalones. Al llegar arriba, justo delante del pequeño templo, vio precisamente el *chac mool*, teñido de rojo. Se estremeció sin poder evitarlo.

—Hijo.

La voz de su papá lo sobresaltó. Por un momento pensó que había recuperado la memoria y le hablaba como Jorge Paz, no como el dios Sol. Pero fue una simple ilusión. También allí y, a causa de su pelo rubio, era su hijo.

Su papá estaba en la entrada del templo. Dos hombres lo vestían con ropas de gran ceremonial, incluido un enorme penacho de plumas de colores en forma circular.

—Papá, trata de recordar, por favor.

—Eres extraño —dijo su papá.

—Piensa en mí, tu hijo David, y en mamá, Gloria, y en tu trabajo. Viniste a la selva a buscar vestigios mayas. Eres arqueólogo y antropólogo. ¿O por qué crees que hablamos la misma lengua?

Jorge Paz no dijo nada. Sólo lo miró fijamente.

—Deberías dejar esa ropa —le indicó—. Tu viaje ya ha terminado.

David se mordió el labio inferior. No sabía qué hacer ni qué decir.

Tampoco había tiempo.

En cuanto le colocaron el penacho a su papá, él se puso de pie, y varios sacerdotes salieron del templo con caracoles y tambores. En segundos, su sonido retumbó y, a su llamado, los habitantes de la ciudad salieron de sus casas y se congregaron al pie de la pirámide. David alzó los ojos al cielo. Como si se tratara de un techo, las nubes cerraban el hueco circular formado por las altas montañas que aprisionaban el valle. Nadie iba a salvarlos a pesar de que su mamá era capaz de desmontar la Gran Pirámide entera, piedra por piedra, hasta dar con él, aunque fuera demasiado tarde.

Se produjo un silencio.

Entre la gente aparecieron los dos guardias sujetando fuertemente a Ixchel.

David miró a su papá.

Entre las manos tenía el cuchillo de sacrificio.

—¡Papá, no lo hagas!

—Debemos agradecer tu llegada, hijo mío.

No iba a convencerlo con súplicas. Y por más que pensara, no tenía más argumentos. Su mente era prisionera de aquel mundo escondido. Estaba en un callejón sin salida.

Subían a Ixchel por la escalinata.

Los dos se miraron cuando la chica llegó hasta arriba de la pirámide. Ella gritó:

—¡David!

Luego fue tendida en el *chac mool*.

El silencio era impresionante. Y más lo fue cuando Jorge Paz, su dios vivo, avanzó hacia la víctima con el cuchillo de sacrificio en alto.

Ixchel cerró los ojos.

—¡Papá, no! —gimió David.

El cuchillo centelleó e inició el camino en busca del corazón de la niña.

Y entonces, inesperadamente, sin reflexionarlo, David se oyó a sí mismo diciendo:

—¡Por favor, detente! ¡Traigo un importante mensaje del gran dios Itzamná!

21

EL DESPERTAR

Estaban solos.

Por primera vez, los dos.

En el exterior, la ceremonia se había detenido, paralizado, en medio de los murmullos de la gente, después de que Jorge Paz mirara a su hijo y bajara el cuchillo sin consumar el esperado sacrificio. Ahora, dentro del pequeño templo, llegaba el momento de revelar la verdad.

David sólo había ganado unos minutos.

A no ser que durante ese tiempo...

—Habla —le pidió su papá.

¿Qué podía decirle? Ni siquiera dominaba el tema de los dioses mexicanos aunque había leído bastante sobre el asunto, preparándose para cuando fuera arqueólogo. Sabía que había 13 cielos, y que el dios más importante, el Señor de los Cielos, era Itzamná.

—Papá, Itzamná no quiere sacrificios humanos.

El hombre frunció el ceño.

—¿No?

—No.

—¿Qué quiere Itzamná?

—Que vengas conmigo, fuera de la ciudad, más allá de la pirámide.

—Fuera de este mundo se encuentra el mal.

Sabía que no iba a convencerlo con palabras, sino con hechos.

De pronto, recordó algo.

—Itzamná me ha dado algo para ti.

Se sintió honrado.

—¿Qué es?

—Esto.

David se quitó, despacio, la medalla del cuello, ganando cada segundo en favor de la vida de Ixchel. Puso la medalla en su mano y se aproximó a Jorge Paz. Cuando estuvieron juntos, se la mostró.

—Un hermoso obsequio —concedió él.

Iba a tomarla, pero David se lo impidió.

—Hay algo más —dijo.

Abrió la medalla, revelándole su interior: las pequeñas fotografías que se escondían en ambos lados. El hombre arqueó las cejas, sorprendido.

—¿Lo ves? —señaló David—. Éste eres tú, papá, y ésta es mamá. ¿Has olvidado a mamá? Fíjate. Solías decir que era la mujer más guapa e inteligente del mundo. Papá, papá...

Jorge Paz miraba aquellas dos imágenes.

En silencio.

—¿Una diosa? —dijo.

David cerró los ojos, apesadumbrado.

No había forma.

Era como enseñar a leer a un recién nacido.

—¿No recuerdas nada? —lo miró sintiéndose muy mal—. ¿Nada? Te gustan los Beatles. ¿Has olvidado *Yesterday*? Solías cantármela por las noches, para que me durmiera. Y bailabas con mamá. Te gustaba bailar. La última noche que estuvimos juntos los tres, antes de tu viaje, dijiste...

—Que me gustaría bailar bajo las estrellas eternamente con ella.

David se quedó pasmado.

Contempló a su papá atentamente.

—Sí, es una diosa —afirmó Jorge Paz con la mirada en la foto de la medalla.

—¡Papá!

Jorge Paz había reaccionado.

Se abrazaron con todas sus fuerzas.

Ya no hizo falta decir más.

Había vuelto.

22

Preparados para la huida

Por la mente de Jorge Paz, como si una inesperada rendija permitiera que por ella se colara la luz del sol, comenzaron a pasar imágenes, sensaciones, momentos. Su vida entera en escasos segundos. Su cabeza se llenó de todo ello.

Su rostro se iluminó.

—¡Papá! —David no podía creerlo—. ¿De veras?

—Tenía un tapón, ¿sabes? Un enorme tapón que impedía que entrara o saliera nada. Y de pronto, al ver esa foto de tu mamá... ¡Oh, David! ¿Cómo está ella? ¿Y qué haces aquí?

—¡Mamá está al otro lado del valle, en la Gran Pirámide! —respondió David emocionado.

—¿Cuánto tiempo...? —se llevó una mano a la cabeza, justo donde tenía la cicatriz.

—Dos años —suspiró su hijo.

—¡Dos años! —exclamó él.

—Papá, Ixchel... —se agitó el muchacho al recordar el sufrimiento de su amiga esperando la muerte en el *chac mool*.

—¿Quién es Ixchel?

—La chica que ibas a sacrificar.

—¡Oh, Dios! —Jorge Paz se estremeció—. ¿Qué podemos hacer?

—De momento, liberarla, ¿no crees?

Su papá se levantó, dominando como pudo sus nuevas emociones. Llegó a la puerta del pequeño templo y salió por ella. David le oyó dar una orden seca, imperiosa. Fue suficiente. En menos de un minuto, Ixchel fue conducida a su presencia, temblando todavía.

Al ver la sonrisa en el rostro de David, ella supo que algo había sucedido.

—¡Mi papá ha recuperado la memoria!

La chica miró al hombre que, segundos antes, había estado a punto de sacrificarla. Comprendió que era verdad, al ver la sonrisa dulce pero llena de pena que le cambiaba el semblante.

—¡David! —gritó echando a correr hacia él.

Se abrazaron en silencio.

—¿Y ahora, papá? —preguntó finalmente el muchacho, como si lo que más deseara fuera salir corriendo de allí.

—Escuchen, esto no va a ser fácil —intentó calmarlo su papá—. Tal vez deberíamos quedarnos unos días más. Hoy, con tu llegada...

—¿Y qué pasa con mamá? ¡Ha de estar medio loca buscándome!

—Usted es su dios, señor Paz —dijo Ixchel—. Puede hacer lo que quiera.

—Si nos descubren huyendo, ¿de qué me servirá ser su dios? Ni siquiera deseo hacerles daño. Viven en su mundo, y tienen derecho a seguir en él. Además —manifestó dando a entender que aquello era lo más determinante—, sólo hay una forma de entrar o salir de aquí: el camino de la Gran Pirámide. Y siempre hay guardia, por temor a que nos invadan desde el otro lado.

—Entonces... —susurró desanimado David.

Jorge Paz se contagió de su desaliento.

Dejó caer la cabeza sobre el pecho.

Y volvió a ver la fotografía de su esposa.

Luego suspiró.

—De acuerdo —convino en un súbito gesto de determinación, plegando los labios y apretando las mandíbulas—. Lo intentaremos esta noche.

23

¡Descubiertos!

El resto del día fue una tensa espera.

Primero, Jorge Paz dijo a todos que la ceremonia del sacrificio quedaba cancelada. Anunció importantes nuevas para el día siguiente, a fin de tranquilizar a la gente, y luego pidió a los sacerdotes que los dejaran solos y les sirvieran comida. Con tantas emociones, David e Ixchel ni siquiera recordaban lo exhaustos y hambrientos que estaban. Después, y desde el mismo templo, aunque a David le hubiera encantado pasear por la ciudad y verlo todo de cerca, observaron la vida de aquel mundo perdido. El hombre, por última vez; su hijo, con el asombro del que se sabe testigo de algo irrepetible.

Las horas transcurrieron despacio a pesar de todo, sacudidas por el miedo, atribuladas por el peligro que estaban a punto de correr.

Cuando las primeras sombras de la noche cayeron sobre el valle, el plan ya estaba trazado.

Aunque en el fondo era muy simple.

—Cuando se den cuenta que su dios ha escapado... —reflexionó Jorge Paz.

—Creerán que se han portado mal o algo así.

—Les dejaré un mensaje —dijo.

Pasó los últimos minutos escribiendo algo en un pergamino. David no lo molestó ni le preguntó qué les decía. Podía imaginarlo. Cuando terminó su redacción ya había oscurecido debido a las características del valle y a sus nubes perennes. Entonces Jorge Paz se cambió de ropa, para no llamar la atención. Se puso un atuendo sencillo y discreto.

—A veces lo usaba para pasear sin ser reconocido, y así los oía hablar y sabía sus preocupaciones.

—Seguro que has sido un buen dios —manifestó con orgullo su hijo.

Todo estaba listo.

—Vamos —ordenó el arqueólogo—. Síganme.

No salieron por la puerta principal del templo, sino por una trasera, privada, algo así como un pasadizo secreto ubicado entre dos columnas. Luego descendieron por la escalinata trasera sin esconderse, aparentando normalidad. Al llegar abajo, se apartaron de las calles principales y dieron un gran rodeo por el sur. Poco a poco, su proximidad al sendero que penetraba en la montaña se hizo más evidente, así que tomaron mayores precauciones. Cuando por fin llegaron a él, se ocultaron.

Vieron a dos guardias.

—¿Y ahora? —cuchicheó David.

—Estén atentos.

Jorge Paz tomó un puñado de piedras, llevó su mano derecha hacia atrás y la proyectó con todas sus fuerzas hacia lo alto. Las piedras describieron un círculo, pasaron por encima de las cabezas de los guardianes, y cayeron al otro lado llenando el silencio con pequeños ruidos.

Los hombres tensaron los músculos al instante. Apuntaron sus lanzas hacia el lugar de los ruidos, dándoles la espalda. Caminaron lento, alejándose del sendero, buscando la procedencia del sonido.

Los guardianes ya se encontraban a siete u ocho metros del camino.

Silencio.

10 metros.

Seguían dándoles las espaldas, buscando cualquier indicio en el suelo.

12 metros, o más.

—¡Ahora! —susurró Jorge Paz.

Era una maniobra arriesgada. Tenían que salir de su escondite por entre las matas, llegar al camino y echar a correr por él, para meterse en la maleza que ocultaba el acceso. Debían hacer todo esto antes de que los guardias se dieran cuenta. Eran unos 20 metros de carrera.

Debido a que era su única oportunidad, los tres echaron a correr.

David fue el primero en alcanzar el sendero. Se movía con agilidad. Ixchel, la segunda, silenciosa como una gacela. Cada metro era un paso hacia la libertad, pero la distancia parecía hacerse más y más grande.

El pasadizo quedaba a menos de un suspiro.

David extendió su mano. Rozó la hojarasca.

Y entonces, por detrás, se escuchó un grito:

—¡*Bic*!

David no tuvo que preguntar su significado. Después de todo, era lo de menos.

¡Los habían descubierto!

24

Por los laberintos subterráneos

No perdieron ni un segundo y se metieron en la sombría densidad de la maleza. Entraron en el pasadizo, aunque la oscuridad los detuvo en seco.

—¡Por aquí debe de haber antorchas! —gritó Jorge Paz buscando alrededor.

—¡No hace falta! ¡Yo traigo mi linterna! —dijo Ixchel orgullosa.

Inmediatamente, la luz rompió las sombras.

—¡Yo iré adelante! —manifestó Jorge, tomando la linterna—. Conozco los pasadizos y sus trampas.

Se internó por el camino abierto en la piedra, mientras, detrás, las voces seguían alarmando a la ciudad. Estarían allí en poco tiempo.

Persiguiéndolos.

Se concentraron en sus escasas posibilidades y ya no volvieron a hablar.

Sólo corrían y corrían.

Después de 15 o 20 minutos, escucharon el primer rumor a sus espaldas, todavía distante, pero acercándose.

Se miraron entre sí.

No parecían estar cansados, pero sí invadidos por el miedo. Lo peor era la linterna. Su luz se había debilitado notoriamente.

—¿Qué vamos a hacer? —balbuceó Ixchel.

—¡Por aquí! —reaccionó Jorge Paz.

Les mostró un pasadizo lateral que parecía apartarse del camino.

—Por aquí se llega antes a donde quiero ir, pero hay un par de trampas. Ya les avisaré.

La primera estaba a unos 100 metros. Jorge se detuvo y saltó por encima de una losa de piedra parecida a la que había pisado antes Ixchel, cuando el suelo se había abierto bajo los pies de David. La segunda trampa, cinco minutos después, era mucho más siniestra.

—Pisen por donde yo piso. Las losas restantes activan un sinfín de pequeños dardos envenenados que nos atravesarían.

Fueron casi 10 metros de angustia, pero los salvaron, despacio, sin atreverse a correr a pesar de que casi sentían el aliento de sus perseguidores en el otro pasadizo.

Por fin se acabaron las trampas.

Aunque, sus perseguidores seguían cerca.

—Papá, ¿por qué vamos por ahí en lugar de...?

—Ya lo verás, ¡corran!

Lo hicieron y, un par de minutos después, llegaron a una cámara parecida a la que había atrapado a David e Ixchel por la mañana.

Jorge Paz se detuvo.

—Ahora hagan lo que les diga —ordenó jadeando, sin perder un segundo.

Las voces estaban ahí mismo.

—Ixchel, cuando te diga, aprieta esa piedra —apuntó con la linterna una roca que sobresalía de la pared—. Tú, David, esa otra —hizo lo mismo con una segunda.

Él se acercó a una tercera. Las tres piedras formaban un imaginario triángulo equilátero.

—¡Ya! —gritó el hombre.

David e Ixchel apretaron con todas sus fuerzas, a pesar de que después se dieron cuenta de que no era necesario.

Oyeron un chasquido.

El resplandor de varias antorchas iluminó el pasadizo. Los guardias se encontraban a unos cuantos metros de la cámara.

De pronto, todo tembló.

EL ÚLTIMO OBSTÁCULO

—¡Por aquí! —gritó Jorge Paz.

Parecía un terremoto, pero no lo era. David e Ixchel lo entendieron al ver que su guía los empujaba hacia uno de los pasadizos de la cámara.

Justo cuando llegaron a él, llovieron las primeras piedras en el lugar que acababan de abandonar.

Y luego fue como si el techo se desplomara con estrépito, llenándolo todo de rocas y polvo.

—¡Cúbranse la boca!

Lo último que vieron, al otro lado de la cámara, fue a uno de los perseguidores deteniéndose antes de entrar, y evitando que los demás lo hicieran.

—Vámonos —ordenó una vez más Jorge Paz.

Salieron de la nube de polvo y pudieron respirar tranquilos. Parecía como si todo hubiera terminado con un final feliz.

—¿Pueden llegar a nosotros por otro pasadizo? —preguntó David.

—No, ya no —lo tranquilizó su papá—. Éste es el único acceso desde ese punto. Tardarán varios días en sacar todas esas piedras y limpiar la cámara.

—Entonces... —los ojos de Ixchel se iluminaron en la penumbra.

—Sí, estamos a salvo —asintió el hombre.

—¡Bien!

Se abrazaron a él.

La luz de la linterna parpadeó una vez.

—¡Oh, no! —volvió a temblar Ixchel.

—Sigamos —Jorge Paz se puso nuevamente serio—. Si nos quedamos a oscuras...

Volvieron a correr. Por la mañana, yendo despacio, habían cruzado el pasadizo subterráneo en menos de una hora. Ahora casi volaban por encima de las losas, con el ex dios por delante para evadir posibles trampas. La luz de la linterna se debilitaba rápidamente. Proyectaba un leve destello.

—Estamos cerca —anunció Jorge Paz—. Apenas un minuto o dos.

La linterna se apagó en ese momento.

Pero en la mente de David había surgido otra pregunta tan apremiante, o más, que la de cómo llegar hasta el muro de la pirámide a oscuras.

¿Cómo iban a atravesarlo?

Recorrieron a oscuras los últimos metros, tanteando las paredes, tomados entre sí. El trayecto duró una eternidad. Cuando por fin se detuvieron, Jorge Paz anunció:

—Aquí está.

David se aproximó.

Sus manos tocaron las losas de piedra.

Al otro lado estaba la libertad.

Gloria Ibáñez, su mamá.

Su corazón latió con fuerza.

—Papá, ¿sabes cómo se abre?

David no lo vio sonreír, sin embargo supo con certeza que lo estaba haciendo.

—Pues claro —oyó la voz de su papá en la oscuridad—. No pensarás que llegamos hasta aquí para quedarnos atrapados a un par de metros, ¿verdad?

—¡Pero si Ixchel y yo estuvimos tocando todo el muro y no dimos con ningún resorte! —protestó David, incrédulo.

—Tiene un sistema parecido al de la trampa de la cámara, pero un solo hombre puede accionarlo. Claro que hay que ser adulto para ello, aunque, si lo hubieran sabido, también habrían podido hacerlo, pues son dos. ¿Listos?

Esperaron, conteniendo la respiración.

Y un segundo después...

El mismo rumor de la mañana, el mismo sonido.

Y el bloque de piedra se apartó muy lento del muro, girando sobre sus goznes invisibles y hacia un lado, dejando ver por la abertura el gran cielo tachonado de estrellas.

Jorge Paz tenía los brazos extendidos uno a cada lado, presionando dos puntos distintos de la pared con las yemas de los dedos.

—¡Lo conseguimos! —suspiró Ixchel.

Ella fue la primera en salir. Después lo hizo David. Parecía que había transcurrido una eternidad desde que entraron allí.

Cuando Jorge salió, la losa volvió a su lugar, sin dejar la menor huella de su secreto.

—¡Vamos! —reaccionó David—. ¡Hay que encontrar a mamá y...!

—Espera, hijo —lo detuvo su papá.

—¿Qué pasa?

El hombre los tomó a los dos por encima de los hombros. Los miró a los ojos con ternura, pero también con firmeza.

Jorge Paz finalmente centró su atención en David y comenzó a hablar:

—Siempre dijiste que un día serías muy famoso, ¿recuerdas, hijo?

—Sí, es cierto, papá.

—Ahora puedes serlo.

David pensó en la ciudad perdida y sus habitantes. Se trataba del mayor hallazgo de la historia arqueológica moderna.

Los ojos de su papá no se mostraban alegres, más bien tristes y reflexivos.

Repentinamente, David empezó a comprender el significado de aquella mirada.

—¿Qué les ocurriría? —señaló la pirámide.

—Su vida cambiaría, y probablemente para mal. Se extinguirían en unos años, incapaces de asimilar este mundo moderno.

—¿Y si no decimos nada?

—Sería lo mejor, aunque entonces te tardarás más tiempo en ser famoso.

Una sonrisa de oreja a oreja se dibujó en el rostro de David y preguntó:

—¿Qué les diremos a todos?

—A tu mamá, la verdad. A los demás, que yo vivía como un moderno Tarzán en la selva, sin memoria, y que ustedes me encontraron.

David miró a Ixchel.

—Estoy de acuerdo —convino ella—. Son mis antepasados y quiero respetarlos.

Volvieron a abrazarse.

Apenas unos segundos, porque de pronto la selva se llenó de resplandores y voces.

¡REENCUENTRO!

Por unos instantes pensaron en los hombres de la ciudad perdida, que seguramente conocían otro camino y no estaban dispuestos a quedarse sin su dios. Pero el miedo fue fugaz.

Por entre la maleza aparecieron los primeros trabajadores de la excavación, que posiblemente regresaban de la selva tras pasar el día buscándolos.

Ixchel fue la primera en reconocerlos y correr hacia uno de ellos.

—¡Papá!

Y David, casi al mismo tiempo, vio de repente a la mujer, visiblemente agotada y preocupada, que iba al lado del jefe de obras.

—¡Mamá!

El aire se llenó de voces, de gritos, de abrazos, de preguntas. Fue un remolino imparable, como si el viento de la felicidad hubiera aparecido por alguna parte, sacudiéndolos.

—¡Mamá! ¡Mamá! —repetía David apretándose contra su pecho.

Hasta que recordó algo. Lo más importante.

Y volteó hacia atrás, allá donde Jorge Paz seguía de pie, muy quieto, con los ojos llenos de lágrimas.

—Mamá —dijo David—. Hoy he hecho el mayor descubrimiento de mi vida —y apuntando hacia su papá agregó—: ¿Lo conoces?

Las palabras y expresiones mayas que aparecen en la narración han sido extraídas del *Vocabulario español-maya* de A. Medina y M. Zavala (Imprenta de la Ermita, Mérida, 1975).

Impreso en los talleres de
Grupo Gráfico Editorial, S.A. de C.V.
Calle B, No. 8, Parque Industrial Puebla 2000,
Puebla, Pue.
Junio de 2013.